D0235945

LES OCÉANS

Jane Parker
Dominique Françoise

Piccolia

Texte original de Jane Parker
Traduction et adaptation de Dominique Françoise
Concept de Karen Lieberman

28 Percy Street
London W1P OLD

4, avenue de la baltique
91946 Villebon - France
Dépôt légal 1er trimestre 2001
Imprimé en Italie
Impression : Eurografica - Marano vic. - (VI)

L'auteur, Jane Parker, a obtenu un diplôme en zoologie et travaille depuis au zoo de Londres. Elle étudie la reproduction des mammifères et depuis plus de 13 ans, elle participe à l'écriture de livres sur la faune et la flore et sur des sujets scientifiques.
Cet ouvrage a été réalisé en collaboration avec Steve Parker, auteur et éditeur de livres sur les Sciences de la vie, la santé et la médecine. Il a beaucoup écrit de livres pour les enfants sur la science et la nature.

COMMENT LIRE CET OUVRAGE

Ce livre comprend cinq parties, te permettant de découvrir successivement les océans, la flore et la faune marines, ainsi que l'action des populations installées sur le littoral, les richesses que l'océan met à la disposition des hommes et enfin les dangers qui menacent de détruire ce potentiel inestimable puis quelques solutions pouvant contribuer à lever cette menace.

L'objectif de ce livre n'est pas seulement de te fournir des informations, mais de te faire réfléchir sur ton environnement et plus précisément sur le devenir des océans. Tu pourras vérifier tes connaissances en essayant de répondre au questionnaire des pages 28 et 29. Il ne fait aucun doute qu'après avoir lu cet ouvrage tu considéreras les océans et les problèmes liés à l'environnement avec un œil nouveau.

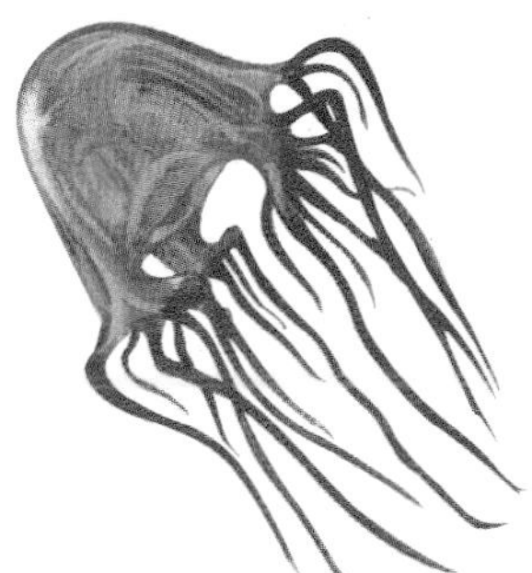

SOMMAIRE

Océans en péril

Un monde peu et mal connu

Les océans sont de vastes étendues d'eau. Ils recouvrent près des trois-quarts de la surface de la Terre, mais nous les connaissons encore mal et ne découvrons que peu à peu les profondeurs sous-marines. L'eau des océans s'évapore et forme les nuages. La pluie tombe et alimente les fleuves, qui ramènent l'eau vers les océans. Au rayonnement solaire, qui est à l'origine du cycle de l'eau, est due également l'existence de courants marins qui circulent à la surface du globe et influent sur le climat.

Eaux troubles

Les océans ont permis aux hommes de se nourrir, de voyager et de découvrir de nouvelles contrées avant de devenir une gigantesque poubelle et d'être exploités pour leurs gisements de gaz et de pétrole. Face à l'immensité des océans, nul n'avait imaginé qu'un jour ils seraient menacés, mais aujourd'hui l'alerte est donnée. Peu à peu, l'air et l'eau se réchauffent ce qui détermine des perturbations climatiques.

Ainsi El Niño, masse d'eau chaude qui se déplace dans l'océan Pacifique, est-il à l'origine de nombreuses tempêtes sur la côte californienne (*ci-dessus*).

CHAPITRE I Qu'est-ce qu'un océan ?

La planète bleue

Pour la majorité d'entre nous, notre planète est faite de terre ferme, et pourtant les océans recouvrent 71 % du globe. Ces immenses étendues d'eau salée, à certains endroits très profondes, représentent 1 300 millions de km^3 d'eau.

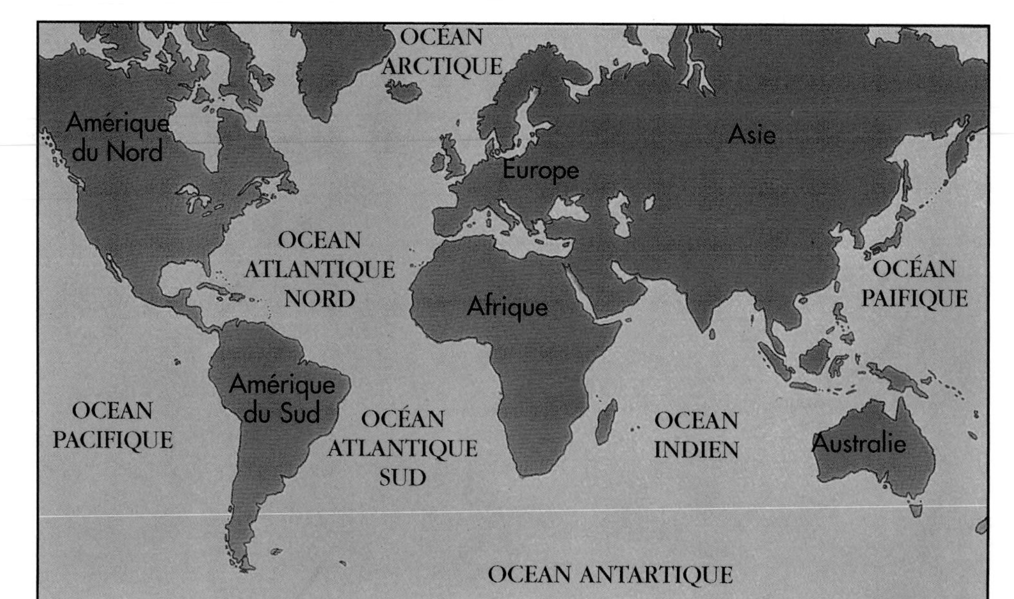

Océan mondial

Les cinq océans de notre planète (*ci-contre*) sont reliés les uns aux autres, d'où l'appellation d'Océan mondial. L'océan Pacifique est le plus grand de tous et couvre la moitié de notre planète. Le plus petit est l'océan Arctique au pôle Nord. Un certain nombre de mers communiquent avec les océans

1 De la vapeur et des gaz s'échappent des volcans.

2 La vapeur forme les nuages.

Précipitations

3 Les cuvettes profondes se remplissent d'eau et donnent naissance aux océans.

Formation des océans

La Terre se forma il y a quelque 4 600 millions d'années. Des roches en fusion laissent échapper du gaz carbonique et de la vapeur d'eau lors de violentes éruptions volcaniques (1). Les gaz forment l'atmosphère et la vapeur d'eau les nuages (2). Durant des millénaires, des pluies diluviennes s'abattent sur la planète, remplissant peu à peu les cuvettes profondes et donnant naissance aux océans (3).

Le cycle de l'eau

Le rayonnement du Soleil transforme l'eau de la mer et des océans en un gaz, la vapeur d'eau. Ce phénomène s'appelle l'évaporation. La vapeur d'eau monte dans le ciel, où elle est refroidie et se transforme en gouttelettes d'eau qui donnent naissance aux nuages. C'est-ce que l'on appelle la condensation. Les gouttelettes s'amalgament, grossissent et deviennent si lourdes qu'elles tombent sur le sol sous forme de pluie. L'eau ruisselle sur la terre, alimente les lacs, les rivières, puis les fleuves, qui se jettent dans la mer, et le processus recommence indéfiniment.

Nuages

Les plantes dégagent de la vapeur d'eau.

Pluie

Vent

L'eau s'infiltre dans le sol.

Océan

Évaporation

Les fleuves se jettent dans les océans.

Eau de mer

L'eau de mer est salée, car elle contient des substances chimiques ou minérales dissoues, notamment du sodium et du chlorure qui composent le chlorure de sodium, plus connu sous le nom de sel ou sel gemme.

Eau **96,5 %**

Sels minéraux et autres : **0,5 %**

Chlorure de sodium (sel) : **3 %**

Par endroits, l'océan est très profond : entre 3 et 6 km. As-tu une idée de ce que cela représente ?

R : En marchant d'un bon pas pendant environ une heure, tu parcours entre 3 et 6 km. Imagine une telle distance sous l'eau. Plus tu t'enfonces, plus la pression augmente et plus il fait sombre et froid.

La configuration de l'océan

Le lit de l'océan est constitué par un ensemble de collines en pente douce, de falaises abruptes, de vallées encaissées, de vastes plaines et des plus hautes montagnes qui soient sur notre planète. Le relief du fond de l'océan est en perpétuelle évolution, tout comme les côtes, façonnées par les vagues et les courants.

Le lit de l'océan

Le lit de l'océan est formé par de profondes dorsales médio-océaniques (*ci-dessous*), où s'infiltre le magma contenu par la croûte terrestre. La roche en fusion se solidifie et pousse le lit de l'océan vers le rivage, puis s'affaisse dans le manteau en fusion et plonge sous la plaque continentale.

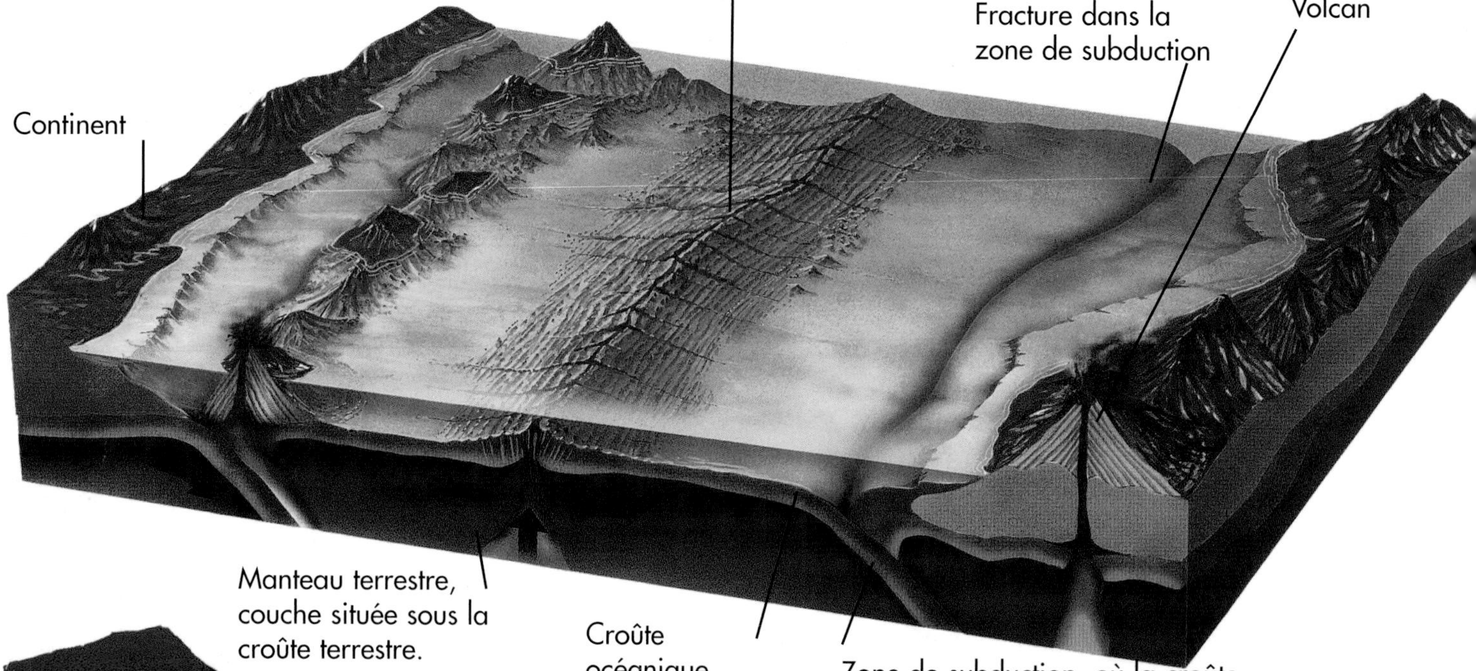

Dorsale médio-océanique où se forme la nouvelle croûte océanique.

Fracture dans la zone de subduction

Volcan

Continent

Manteau terrestre, couche située sous la croûte terrestre.

Croûte océanique

Zone de subduction, où la croûte océanique s'enfonce dans le manteau.

Érosion du littoral

Les vagues se fracassent sur le littoral et emportent les galets et le sable des falaises qu'elles arrachent sur leur passage. Des grottes et des arches sont façonnées par l'érosion, puis, à leur tour, les arches s'effondrent, ne laissant que des piliers rocheux appelés aiguilles au milieu de la mer. Au fil du temps, ces aiguilles s'effritent, prolongeant ainsi le littoral.

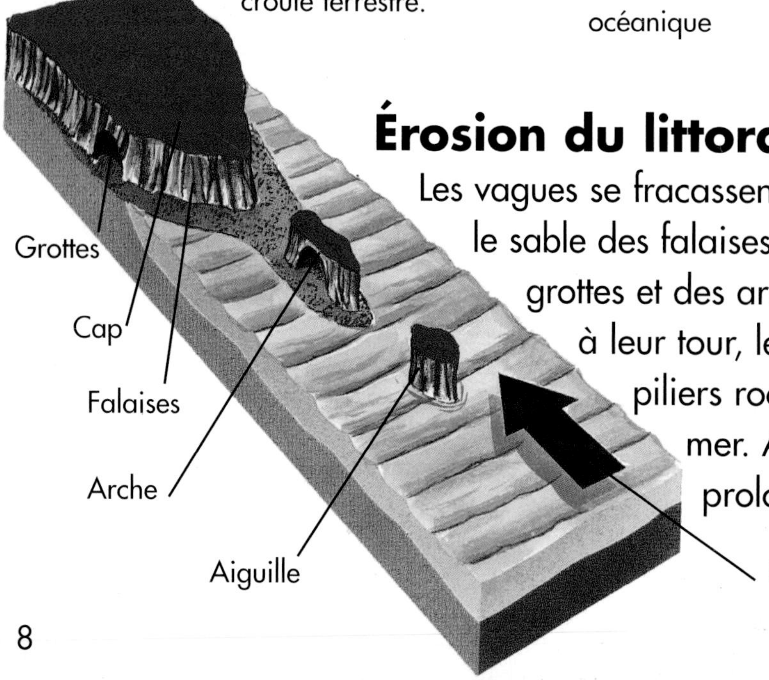

Grottes

Cap

Falaises

Arche

Aiguille

Sens des vagues

Le plateau continental

Autour des continents, le lit de l'océan forme un vaste plateau. Animaux et végétaux vivent dans cette eau peu profonde, chauffée et éclairée par les rayons du Soleil. À l'extrémité du plateau, le plancher de l'océan tombe à pic dans les profondeurs sombres et glaciales habitées par de rares espèces vivantes.

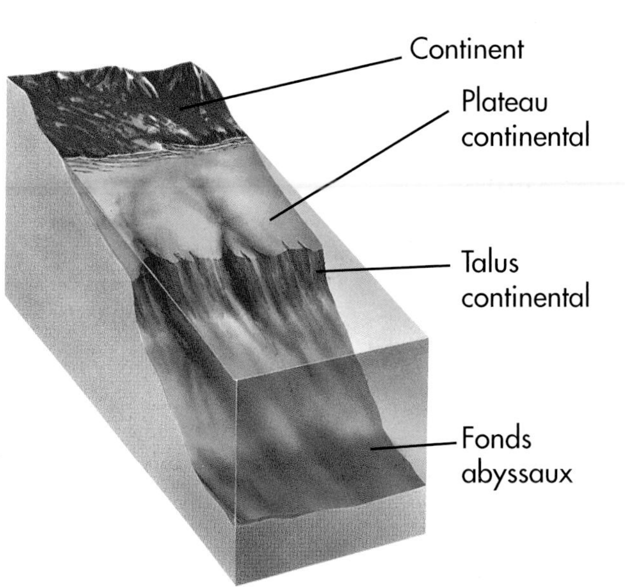

Récif corallien

Les récifs coralliens se forment dans les eaux chaudes et claires des mers tropicales. Les minuscules êtres vivants qui vivent là sont très sensibles à la température.

Formation des récifs de corail

De nombreuses îles sont constituées par la partie émergée de volcans sous-marins. Des récifs de corail se forment souvent autour de la frange des îles, là où l'eau est la plus chaude et la plus claire (1).Tandis que l'île s'affaisse du fait de l'érosion, les couches de corail se superposent pour rester dans les eaux les plus claires et forment une barrière de corail. Une large étendue d'eau, appelée lagon, sépare le récif corallien de l'île (2). L'île continue à s'affaisser pour disparaître entièrement. Il ne reste alors qu'un récif en forme d'anneau appelé atoll (3).

3 Atoll

QUESTIONS • RÉPONSES •

Q : Dans le monde, de nombreux récifs coralliens sont en train de mourir. Pourquoi ?

R : Certains récifs, notamment au large des côtes de la Floride sont emprisonnés dans de la vase et empoisonnés par la pollution. Ceux qui bordent les Maldives, dans l'océan Indien, meurent, car l'eau y est de plus en plus chaude.

Vent, vagues et perturbations atmosphériques

Les océans sont en perpétuel mouvement. Le rayonnement solaire fait varier la pression atmosphérique, ce qui est à l'origine du vent. Le vent fait bouger l'eau et donne naissance aux vagues, qui fouettent la surface de l'océan tandis que les courants provoquent de nombreuses perturbations climatiques. À tous ces facteurs s'ajoute la rotation de la Terre.

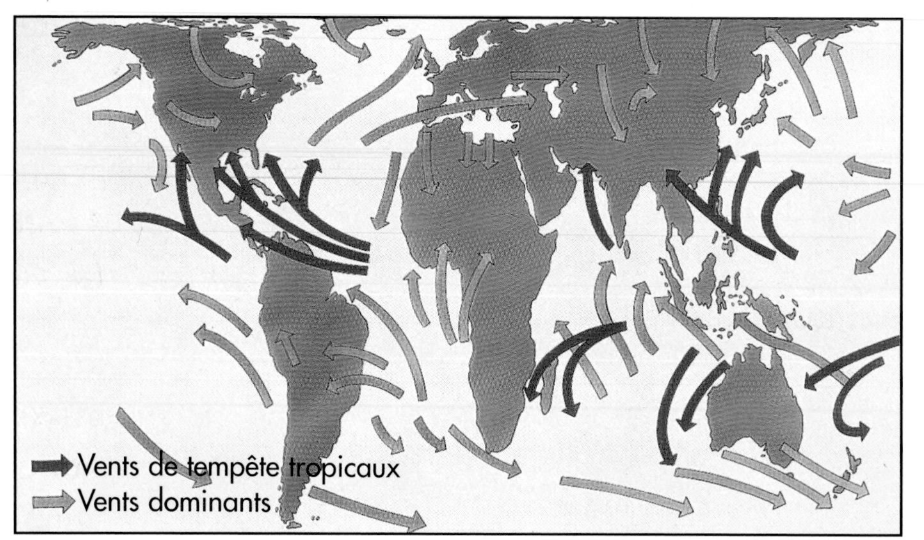

La ronde des vents

Près de l'équateur, le rayonnement solaire chauffe l'air, qui s'élève. L'air frais provenant des hémisphères Nord et Sud prend sa place et génère des vents puissants. Du fait de la rotation de la Terre, tous les vents sont déviés vers l'ouest.

Les courants

Les courants océaniques sont étroitement liés aux vents. Les courants se déplacent généralement dans le sens des aiguilles d'une montre dans l'hémisphère Nord et dans le sens contraire dans l'hémisphère Sud. Les courants froids partent des pôles et les courants chauds de l'équateur. D'autres courants circulent verticalement.

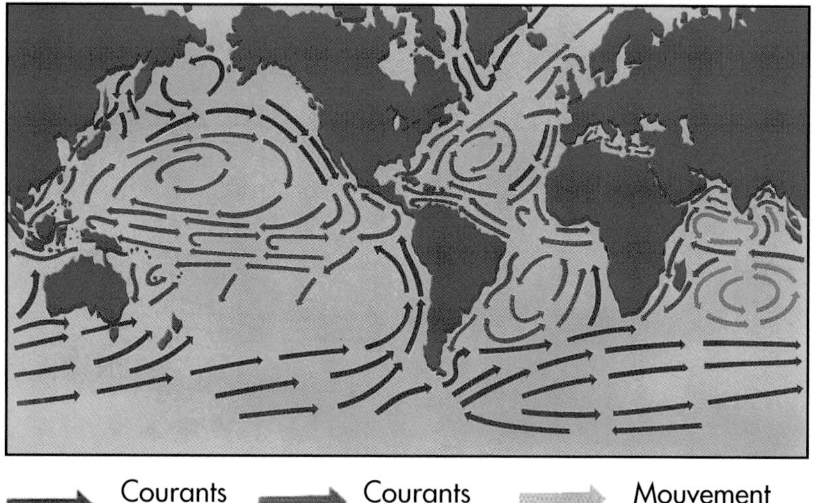

Les ouragans

Les ouragans sont des tempêtes très violentes qui éclatent en mer lorsque des vents froids et des vents chauds se rencontrent. L'air se met à tournoyer et une colonne nuageuse (*à gauche*) pouvant dépasser 650 km de large se forme. Lorsqu'ils atteignent le littoral, les ouragans causent de gros dommages.

El Niño

Tous les trois à sept ans, au moment de Noël, une masse d'eau chaude circule à travers l'océan Pacifique. Les météorologues ne connaissent pas exactement l'origine de ce phénomène, baptisé El Niño (Jésus Christ en espagnol), qui provoque des sécheresses dans les régions froides et humides et des inondations dans les régions chaudes et sèches.

Les eaux chaudes se déplacent de l'Australie vers l'Amérique du Sud.

D'immenses nuages se forment au-dessus des déserts d'Amérique du Sud.

AUSTRALIE

AMÉRIQUE DU SUD

Eau froide, eau chaude

L'eau froide est plus lourde que l'eau chaude. Aux pôles, l'eau froide s'enfonce et circule le long du plancher de l'océan jusqu'à l'équateur, où elle remonte et se réchauffe avant de continuer sa route en surface pour rejoindre les pôles.

La chaleur monte dans l'air.

L'eau chaude arrive des régions tropicales.

L'eau glaciale perd sa teneur en sel et gagne le fond de l'océan.

L'eau froide fait route vers l'équateur.

Q : El Niño est responsable de très importantes perturbations climatiques. Quelles sont leurs conséquences ?

R : El Niño peut avoir des conséquences très graves sur l'économie d'un pays, qui peut être ravagé par la sécheresse et les incendies, ou au contraire par les inondations. En 1998, El Niño fut à l'origine des pluies torrentielles qui s'abattirent sur la Somalie, pays habituellement aride, causant des inondations qui anéantirent toutes les cultures.

CHAPITRE II La vie dans les océans

Un gigantesque écosystème

Pour vivre, les plantes et les animaux marins dépendent entièrement les uns des autres. L'océan puise dans le rayonnement solaire l'énergie qui est nécessaire à la vie. Cette énergie est transmise par les végétaux aux animaux, qui eux-mêmes la transmettent à d'autres animaux sous forme de nourriture.

À l'abri des rochers

Les bigorneaux et les bernicles se nourrissent d'algues, tandis que les crabes et les petits poissons dévorent les crustacés, avant de devenir eux-mêmes la proie des oiseaux de mer. La marée apporte aux animaux marins nourriture et oxygène.

Le grand requin blanc

Les sens de ce poisson extrêmement rapide et très dangereux (*ci-dessous*) sont très développés. L'un des prédateurs marins les plus voraces, il se nourrit principalement de phoques et d'otaries, mais ne dédaigne pas les autres proies. Il peut dépasser 6 mètres de long. Ses mâchoires sont pourvues de larges dents triangulaires.

Le monde des abysses

Vers tubicoles géants, crabes, palourdes et minuscules poissons vivent à proximité des sources hydrothermales (*ci-dessus*), d'où jaillit une eau très chaude et riche en sels minéraux, fort appréciée des bactéries.

Chaîne alimentaire

Le plancton végétal qui flotte dans l'eau est le premier maillon de la chaîne alimentaire. Les minuscules animaux qui nagent à la surface de l'eau se nourrissent de ces plantes microscopiques avant de servir de repas à de plus grosses créatures. Lorsque par chance ils échappent à leurs prédateurs et meurent de mort naturelle, ils finissent dans l'estomac de quelque poisson abyssal amateur de déchets.

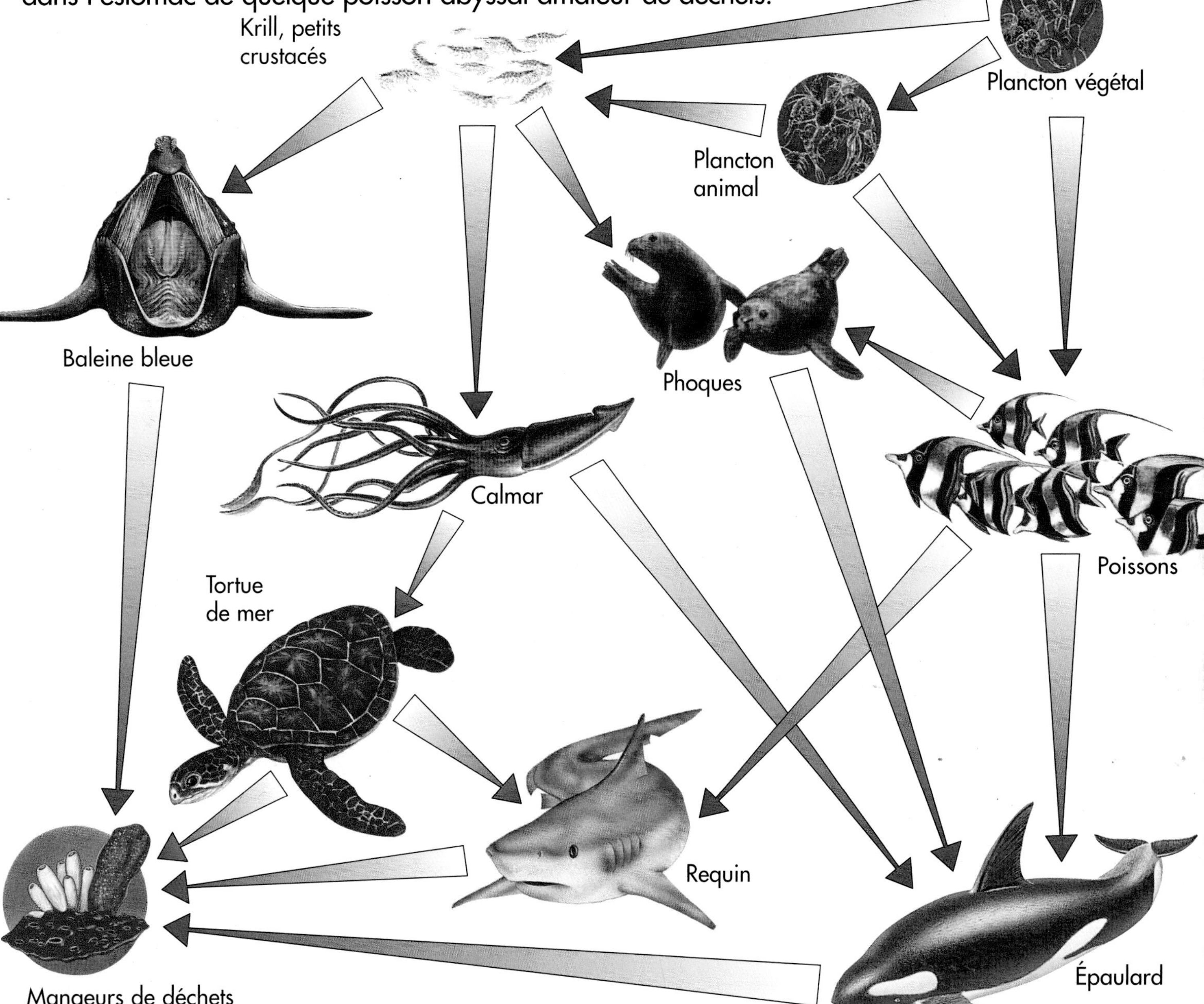

QUESTIONS • RÉPONSES •

Q : Les requins sont au nombre des plus grands prédateurs marins. Ont-ils des ennemis ?

R : Oui. Même les grands requins blancs ont des ennemis, dont l' homme, qui tue environ 4,5 millions de requins par an pour leur chair ou pour le sport. Les prédateurs ont un rôle très important, car ils tuent les animaux malades, faibles ou vieux, et préservent ainsi l'équilibre naturel.

Des milliers de formes et de couleurs

La vie est née dans les océans il y a des millénaires. Vers, anémones de mer, hippocampes, crabes et praires offrent une multitude de formes et de couleurs. Chaque créature, quelle que soit sa taille, a su s'adapter à son environnement.

Le cœlacanthe ▲

Ce vivipare est une sorte de fossile vivant dont l'ancêtre est un vertébré terrestre. Les scientifiques croyaient cette espèce disparue depuis plus de 65 millions d'années mais des colonies ont été récemment identifiées dans l'océan Indien.

Écailles dorsales foncées

Nuance claire sur le ventre

▲ Ni vu, ni connu

Les maquereaux sont des poissons pélagiques – ils vivent en haute mer. Leur ventre est recouvert d'écailles argentées et, vus du dessous, ces poissons se confondent avec les eaux scintillantes. Les écailles de leur dos forment des rayures sombres qui ne se distingue pas de la nuit des profondeurs.

◀ Un camouflage parfait

De nombreux poissons, dont la plie, se confondent avec le fond sablonneux et recouvert de galets. Pour échapper à leurs prédateurs, ils recouvrent de sable l'extrémité de leurs nageoires.

Torches sous-marines ▶

De nombreux poissons abyssaux (*ci-contre*) ont des organes lumineux appelés photophores, grâce auxquels ils attirent leur proie. La nourriture étant rare, ils dévorent tout ce qui passe à portée de leurs dents acérées.

▼ Gentil géant

Le requin-baleine est le plus grand et le plus inoffensif de tous les poissons. Il peut dépasser 13 mètres de long et peser plus de 18 tonnes. Il nage la bouche ouverte et se nourrit de plancton, de crevettes et de petits poissons.

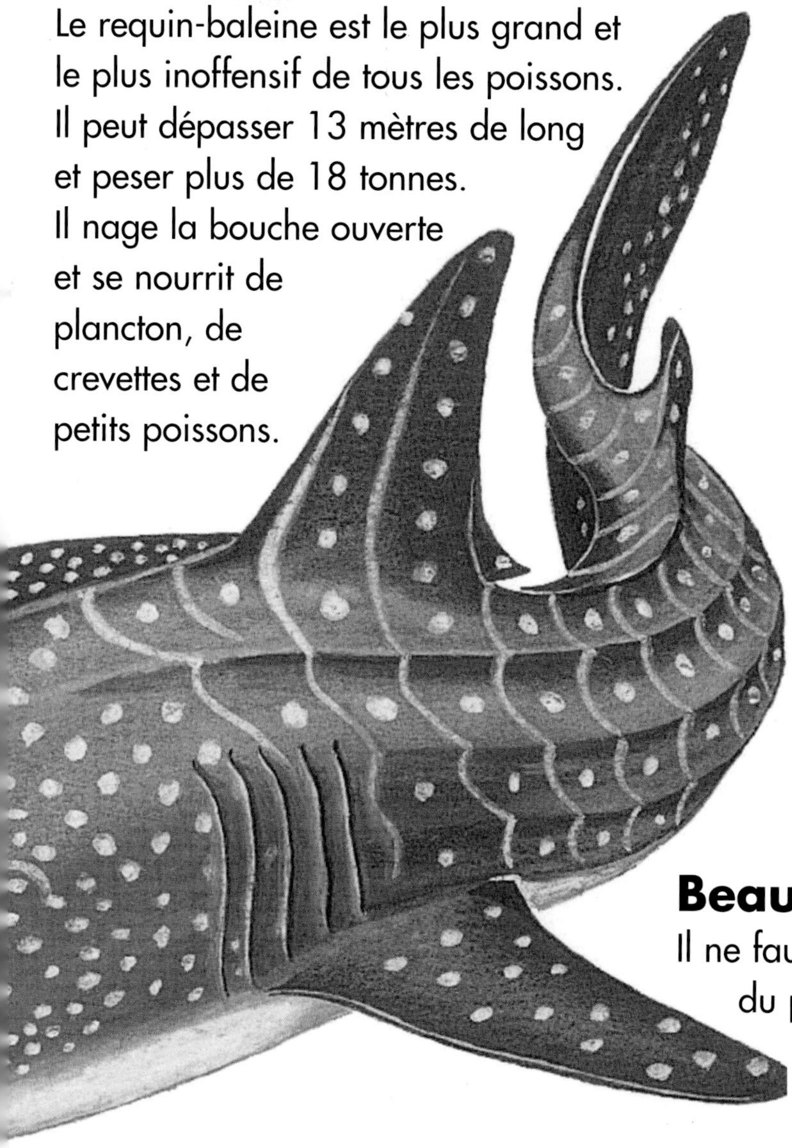

Beauté fatale ▲

Il ne faut pas se fier aux merveilleuses couleurs du poisson-lion. En effet, les rayons des nageoires en forme d'éventail contiennent un poison mortel qui effraie les plus courageux.

QUESTIONS RÉPONSES

Q : Le cœlacanthe est en voie de disparition. N'y-a-t-il aucun espoir pour cette espèce ?

R : Les cœlacanthes qui vivaient au large des Comores, non loin de l'Afrique du Sud, ont pratiquement tous disparu, mais de nouvelles colonies ont été découvertes dans l'océan Indien près de l'Indonésie.

Les hommes et l'océan

Les habitants de beaucoup de régions côtières dépendent totalement de l'océan, qui leur fournit nourriture, combustible et ustensiles ménagers. Ces populations, qui vivent principalement de la pêche et du commerce, participent à leur manière à la pollution de l'océan.

Une gigantesque poubelle

Sur presque toutes les plages du monde viennent s'échouer des déchets de plastique rejetés par les vagues qui blessent ou tuent les animaux marins. Les métaux et les plastiques ne se désagrègent pas et menaceront encore longtemps la faune et la flore.

Des épaves par milliers

Le fond de l'océan abrite des milliers d'épaves. Certains navires ayant coulé il y a plusieurs siècles ont été conservés par l'eau salée et renferment des trésors inestimables ou des marchandises de toutes sortes. Nombreux sont ceux qui tentent de remonter à la surface ces navires immergés, qui feront le bonheur des archéologues et des historiens.

La vie sur les îles

L'océan Pacifique est parsemé de milliers d'îles plus ou moins grandes, habitées par des populations venues d'Asie du Sud-Est sur des radeaux ou à bord de pirogues (*ci-dessus*). Depuis plusieurs siècles, la vie de ces communautés repose entièrement sur les ressources founies par l'océan.

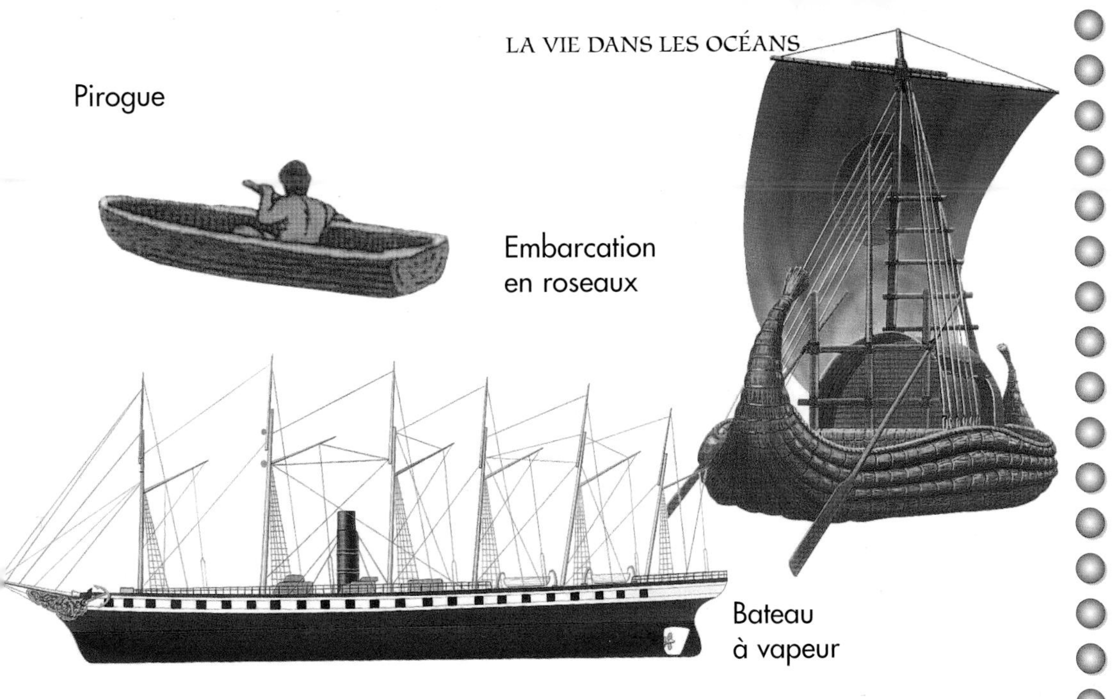
Pirogue

Embarcation en roseaux

Bateau à vapeur

Construction navale

Les hommes fabriquent les premiers bateaux il y a plus de cinq siècles. Les pirogues et les embarcations en roseaux équipées de rames sont bientôt remplacées par les bateaux à voiles inventés par les Égyptiens. Au XIXe siècle, avec la révolution industrielle, apparaissent les bateaux à vapeur.

Profondeurs marines

Les scientifiques explorent le fond des océans à l'aide de sous-marins (*ci-contre*) et d'autres équipements capables de résister à de très hautes pressions.

Mythologie

De nombreuses divinités sont associées à la mer. Neptune (*ci-contre)* était chez les romains le dieu de la mer. Les navigateurs lui rendaient grâce en franchissant l'équateur.

Q : Jadis, les hommes jetaient leurs détritus dans la mer. Ce comportement est-il aujourd'hui acceptable ?

R : Certains détritus se dégradent dans la mer et ne présentent aucun danger, alors que d'autres, tels que les plastiques et les métaux, mettent en péril la faune marine. Aujourd'hui, plus de 20 000 millions de tonnes de déchets sont déversés chaque année dans les océans. À cela, il faut ajouter les produits chimiques qui empoisonnent les animaux marins, détruisent la flore et se retrouvent dans nos aliments.

CHAPITRE III Les richesses de l'océan

Des trésors inestimables

L'océan renferme des trésors naturels inestimables tels que les minerais. Si de nombreux gisements de pétrole et de gaz sont aujourd'hui exploités, les scientifiques font des recherches pour utiliser l'énergie produite par la mer.

De nouvelles sources d'énergie

L'image ci-dessous témoigne de l'ingéniosité des hommes, qui tentent d'utiliser les vagues, les marées et les différences de température pour produire de l'électricité.

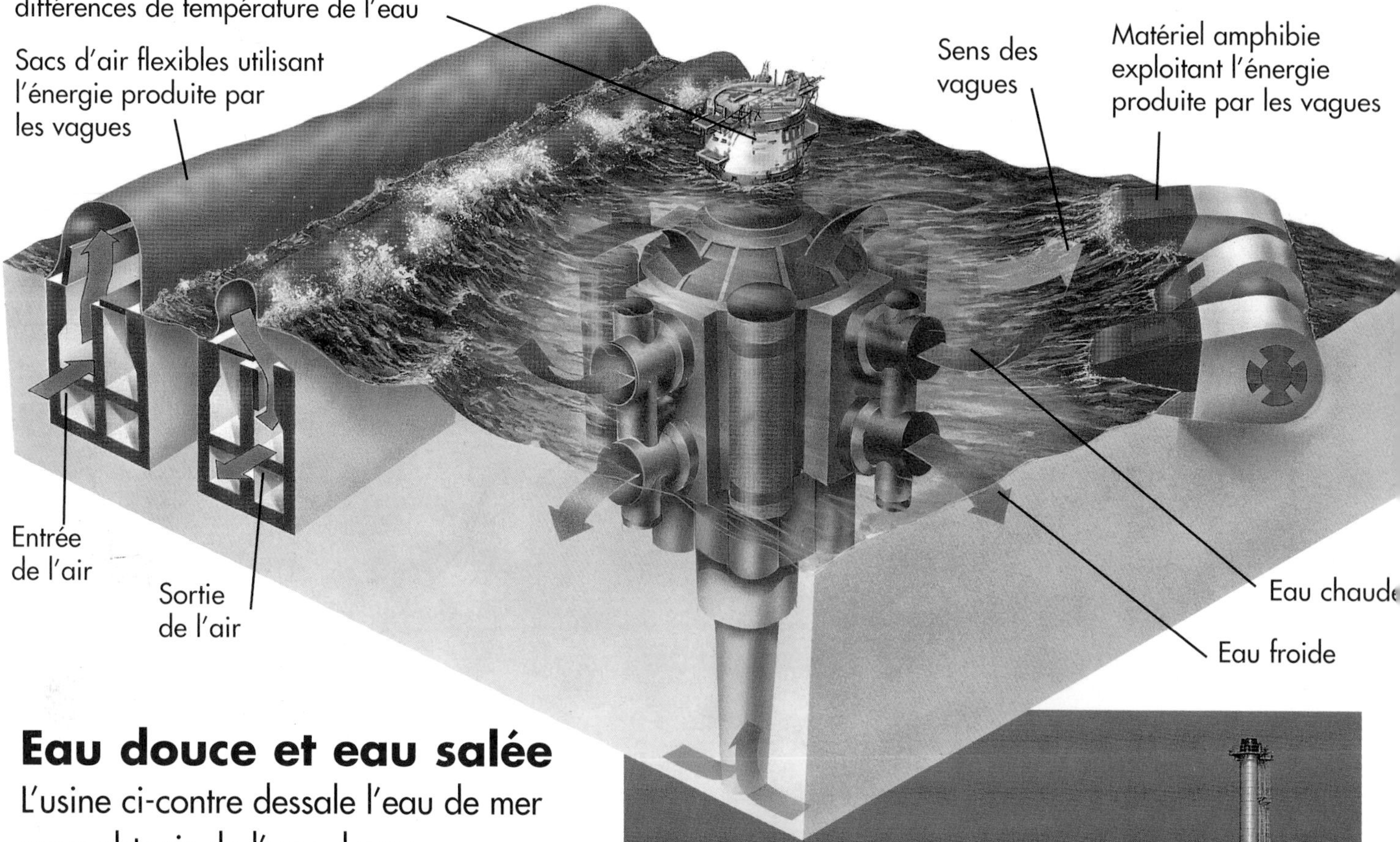

Énergie thermique produite par les différences de température de l'eau

Sacs d'air flexibles utilisant l'énergie produite par les vagues

Sens des vagues

Matériel amphibie exploitant l'énergie produite par les vagues

Entrée de l'air

Sortie de l'air

Eau chaude

Eau froide

Eau douce et eau salée

L'usine ci-contre dessale l'eau de mer pour obtenir de l'eau douce.
Ce procédé, très onéreux, permet d'irriguer les régions arides afin d'y développer l'agriculture.
Devant l'augmentation des besoins en eau douce, le dessalement semble être la meilleure solution dans les régions côtières.

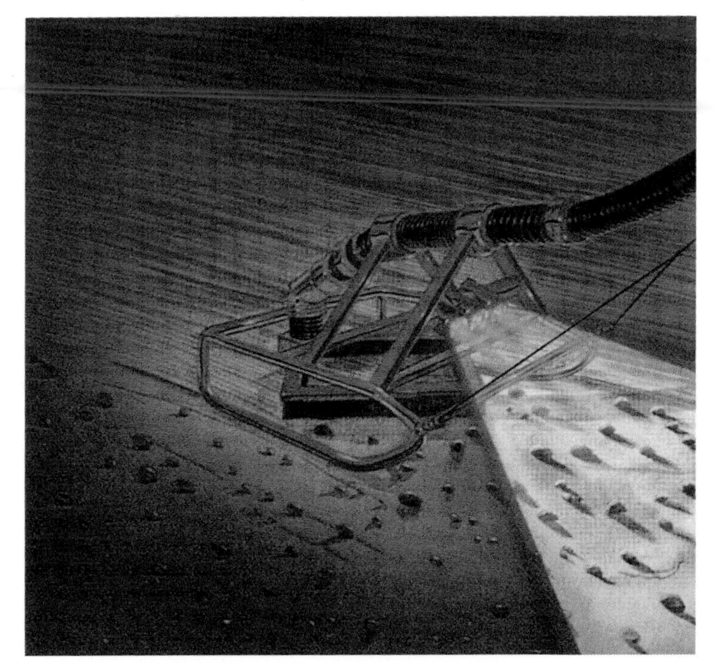

Galets précieux

Par endroits, le lit de l'océan est recouvert de manganèse pur qui se présente sous la forme de gros galets précieux. Des appareils télécommandés *(ci-contre)* raclent le fond de l'océan pour récupérer le métal blanc.

Plates-formes de forage

Les restes d'animaux microscopiques morts il y a des millions d'années constituent d'énormes réserves de pétrole et de gaz enfouies sous le lit de l'océan. On fore des puits gigantesques dans la roche, puis le pétrole et le gaz sont acheminés jusqu'aux plates-formes et jusqu'aux raffineries côtières.

Évaporation de l'eau salée

Des bassins peu profonds remplis d'eau de mer sont exposés au soleil. L'eau s'évapore. Les cristaux de sel récupérés sont utilisés pour la cuisine et la fabrication de produits chimiques.

QUESTIONS RÉPONSES

L'océan contient des richesses illimitées.

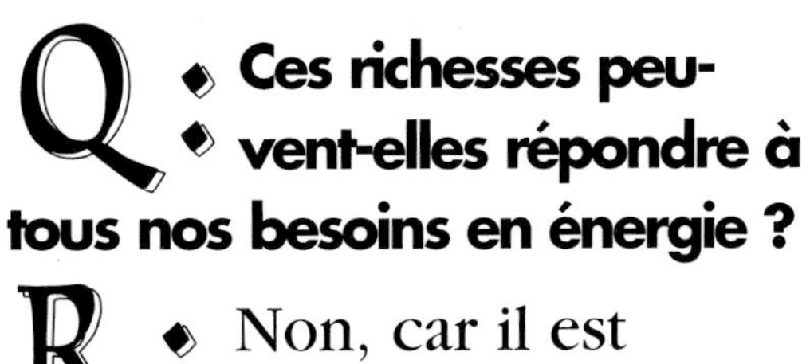

Q : Ces richesses peuvent-elles répondre à tous nos besoins en énergie ?

R : Non, car il est par exemple onéreux de construire et d'exploiter une station électrique utilisant l'énergie produite par les vagues et les marées.

Pêche, cosmétiques et joaillerie

Avec une pêche de plus de 90 millions de tonnes chaque jour, les réserves de poisson, de crustacés et d'algues s'amenuisent. Les petits poissons ne sont pas toujours rejetés à la mer, et certaines espèces disparaissent, en même temps que d'autres animaux marins, pris au piège dans les filets de pêche de chalutiers et de bateaux qui sont de véritables usines flottantes.

Hareng

Les harengs

Les harengs sont très prisés pour leur chair. On pêche environ 4,5 millions de tonnes de harengs chaque année.

Les maquereaux

Dans l'océan Atlantique et l'océan Pacifique, au large des côtes, les bancs de maquereaux nagent à la surface de l'eau.

Maquereau

Les algues

De tout temps, les hommes ont mangé des algues. Aujourd'hui cultivées, les algues sont utilisées dans la fabrication de gelées, de produits amincissants, de cosmétiques et de médicaments.

Parties de pêche

Les amateurs de pêche prennent le poisson en se servant de cannes à pêche et de petits filets. Les marins pêcheurs embarqués sur les bateaux utilisent, eux, de larges filets aux mailles plus ou moins serrées (*ci-dessous*) selon les poissons qu'ils cherchent à pêcher.

Filet dérivant
Chalut à perche
Canne à pêche
Verveux
Casier à homards
Senne tournante
Guideau
Araignée

Cosmétiques et joaillerie

Les huîtres renferment une perle, utilisée en joaillerie ; les restes de poisson non consommés par l'homme sont transformés en engrais ou sont utilisés dans la fabrication de nourriture pour animaux. Les huiles de poisson, notamment l'huile de requin, entrent dans la composition de nombreux produits cosmétiques, comme les crèmes antirides.

QUESTIONS • RÉPONSES

Q : Tout ce que les pêcheurs remontent dans leurs filets est-il propre à la consommation ?

R : Non. De nombreux animaux marins se font prendre dans les filets : oiseaux, tortues, dauphins et requins (*ci-dessus*). Les pêcheurs remontent également des milliers de tonnes de déchets qui polluent les fonds marins.

CHAPITRE IV Les océans menacés

Le monde marin en danger

De plus en plus, les océans se trouve souillés par des produits chimiques mortels, qui rendent malades ou tuent les animaux marins et sont responsables de la disparition de certaines espèces.

Les zones les plus polluées

La carte ci-dessous montre que les régions les plus polluées se situent en bordure des océans, là où la population est la plus nombreuse. Les usines déversent des produits chimiques non décontaminés dans l'océan, où aboutissent également de nombreux égouts. Les pesticides et les engrais utilisés dans les champs sont transportés par les fleuves jusqu'à la mer. Les déchets nucléaires provenant des usines causent également d'énormes dégâts, notamment dans la mer du Nord et la mer d'Irlande.

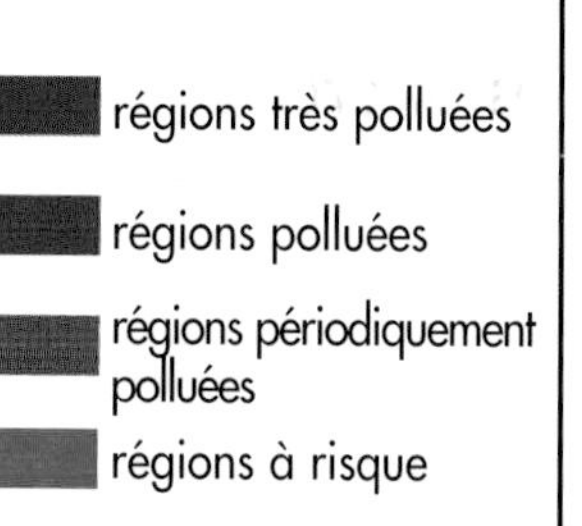

Marées noires

Le pétrole brut est un liquide épais, gluant et très polluant. Lorsque du pétrole s'échappe des réservoirs d'un pétrolier, il se répand rapidement et reste à la surface de l'eau, détruisant la faune et la flore et polluant les côtes.

◀ Déchets toxiques

De nombreuses entreprises jettent dans les océans d'énormes fûts contenant des déchets chimiques (*ci-contre*) en espérant qu'ils finiront par disparaître. Les fûts n'étant pas toujours étanches, les produits se répandent dans l'eau, détruisant des milliers d'êtres vivants.

Eaux usées ▶

Les égouts sont des canalisations qui recueillent et évacuent les eaux usées. Celles-ci contiennent des germes, des produits ménagers puissants et des substances médicamenteuse qui peuvent causer des maladies et provoquer des empoisonnements ou des brûlures.

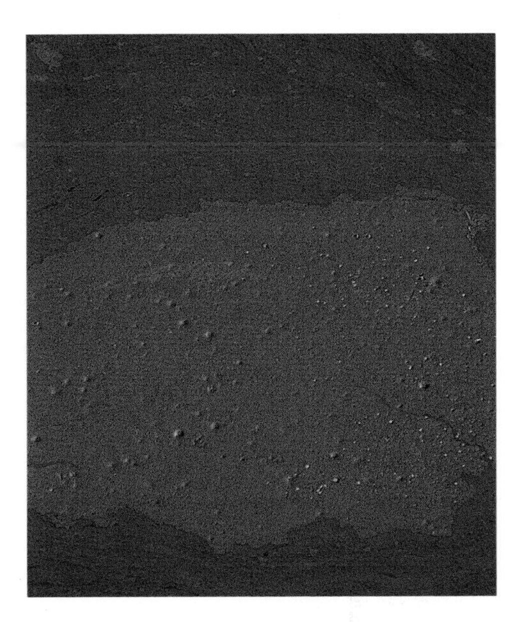

◀ Algues géantes

Les algues sont des plantes microscopiques qui flottent sous la surface de l'eau et dont se nourrissent de nombreuses espèces marines. Lorsque des engrais et les eaux usées des égouts se déversent dans les océans, les algues grossissent à vue d'œil, mettant en péril la faune et la flore marines.

Q : Les pétroliers qui acheminent le pétrole brut des puits de forage jusqu'aux raffineries représentent-ils un danger pour les animaux ?

R : Oui. En 1978, une marée noire se produisit au large des côtes françaises. 200 000 tonnes de pétrole brut s'étaient échappées du pétrolier Amoco-Cadiz, tuant des milliers d'oiseaux, de poissons et de crustacés. Onze ans plus tard, une autre catastrophe eut lieu non loin des côtes de l'Alaska, puis ce fut, fin 1999, le naufrage de l'Erika, qui provoqua une nouvelle et dramatique marée noire sur les côtes françaises.

Espèces en voie de disparition

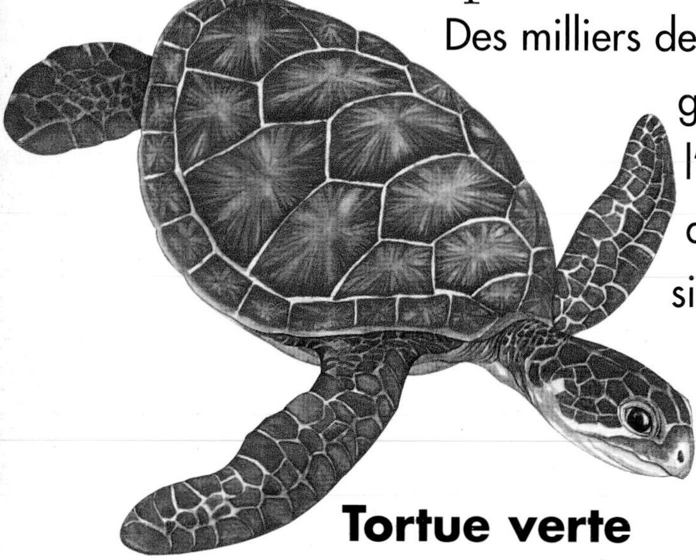

Des milliers de plantes et d'animaux vivent dans le plus grand habitat naturel qui soit sur notre planète, l'océan. Nous savons peu de chose sur les animaux qui vivent dans les fonds abyssaux, si ce n'est que certaines espèces auront disparu avant même d'avoir été découvertes.

Tortue verte

La tortue verte ou tortue franche (*ci-dessus*) ne sort de l'eau que pour pondre ses œufs. Cette tortue marine est en voie de disparition, car sa chair est très prisée tandis que sa coquille et ses œufs font le bonheur des touristes qui ont pris d'assaut les plages sur lesquelles elle se réfugiait au moment de la ponte.

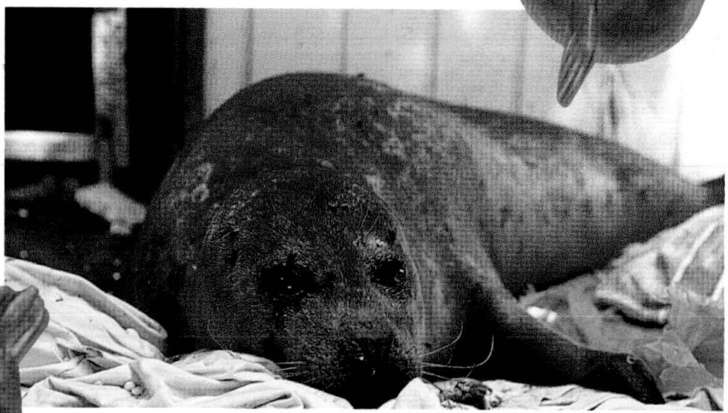

Phoques et otaries

On a longtemps chassé les animaux pour leur fourrure et parce que certains pêcheurs leur reprochaient de manger trop de poisson et d'endommager leurs filets. Cette espèce est aujourd'hui menacée par la pollution.

Récifs de corail

Les coraux, les algues et les mollusques qui forment les récifs coralliens sont menacés à la fois par la pollution, le réchauffement des océans et la convoitise des plongeurs. Les poissons aux couleurs chatoyantes se retrouvent dans des aquariums, les crustacés sont recherchés pour leur carapace et les coraux sont vendus aux vacanciers sous forme de bijoux.

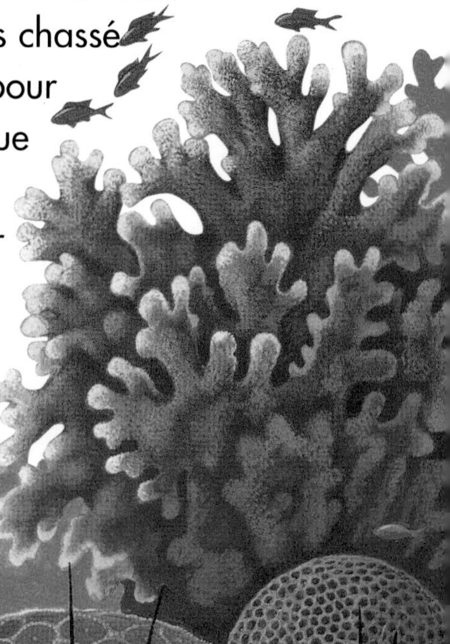

Géants marins

Les baleines bleues sont les plus gros animaux vivant sur notre planète. Victimes de la pêche pendant des années, ces cétacés sont maintenant protégés dans beaucoup de pays et leur nombre augmente peu à peu.

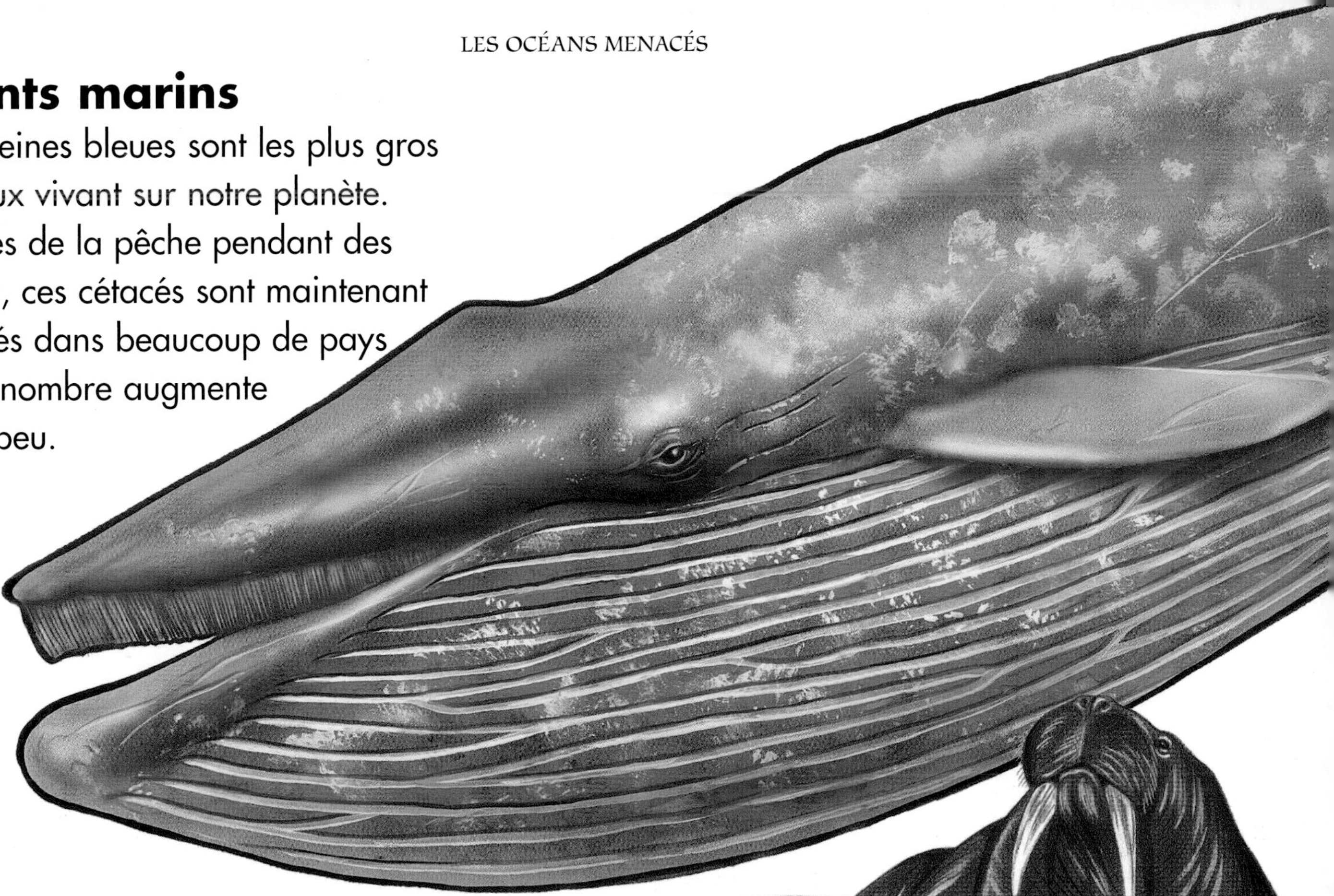

▼ Hippocampes

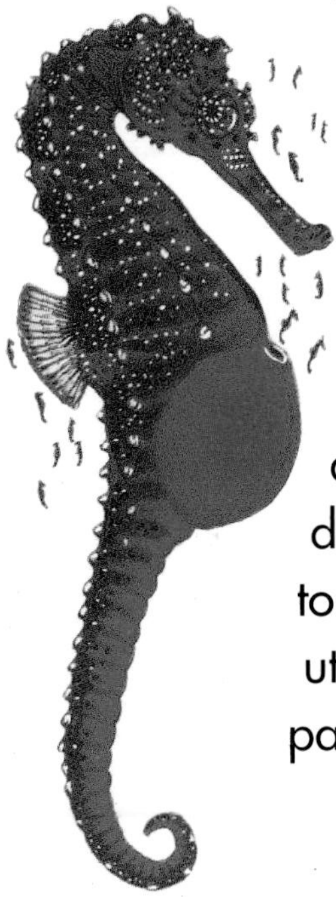

Ces petits poissons à la tête chevaline vivent principalement dans les eaux tropicales. Leur nombre a diminué du fait de la pollution, de la convoitise des touristes et de leur utilisation en médecine par les Asiatiques.

De bien belles défenses ! ▲

Les morses vivent dans l'océan Arctique. Avec leurs longues défenses, ils brisent la glace, décollent les mollusques accrochés aux rochers et attaquent leurs ennemis. Leur nombre a diminué, car leur chair, leur blanc et leurs défenses en ivoire sont très recherchés.

QUESTIONS RÉPONSES

Il y a encore peu de temps, des milliers de bébés phoques étaient tués chaque année pour leur fourrure.

Q : Les phoques sont-ils encore menacés ?

R : Oui. C'est ce que l'on appelle la limitation. Les chasseurs ont le droit d'abattre chaque année un certain quota de phoques pour limiter leur nombre.

CHAPITRE V Solutions proposées

Arrêtons le massacre !

Arrêtons de polluer et cessons de puiser dans les réserves de l'océan avant qu'il ne soit trop tard ! Si nous n'agissons pas dès aujourd'hui, les trésors que l'océan met à notre disposition auront bientôt disparu.

Écotourisme

Pour que les espèces marines puissent être sauvées, regardons-les d'abord vivre. Des croisières en mer permettent aux touristes d'admirer les baleines tout en prenant conscience de la fragilité du monde marin. De plus, l'argent ainsi récolté est utilisé pour la protection des cétacés.

Une vente outrancière

Les complexes touristiques proposent aux vacanciers des étoiles de mer, des coraux, des carapaces de tortue, des hippocampes et bien d'autres trésors... qui seraient mille fois plus beaux en vie dans leur environnement naturel.

Étoiles de mer (sèches)

La pisciculture

L'élevage de poissons et de crustacés en mer (*ci-contre*) permet de compenser la diminution du nombre de certaines espèces. Soignés et protégés, les petits poissons deviennent rapidement beaux et gros. Un inconvénient cependant : lorsqu'un poisson est malade, il contamine les autres et on lui administre alors des médicaments, au risque d'éliminer d'autres espèces marines.

La Grande Barrière de corail

Au large de la côte nord-est de l'Australie, ce récif corallien, qui s'étend sur environ 2 000 km (*ci-dessous*), est le plus grand du monde. Les touristes viennent y admirer de merveilleuses espèces de poissons. Des mesures ont été prises afin de protéger ce lieu, déclaré parc naturel, contre les abus touristiques et la pollution.

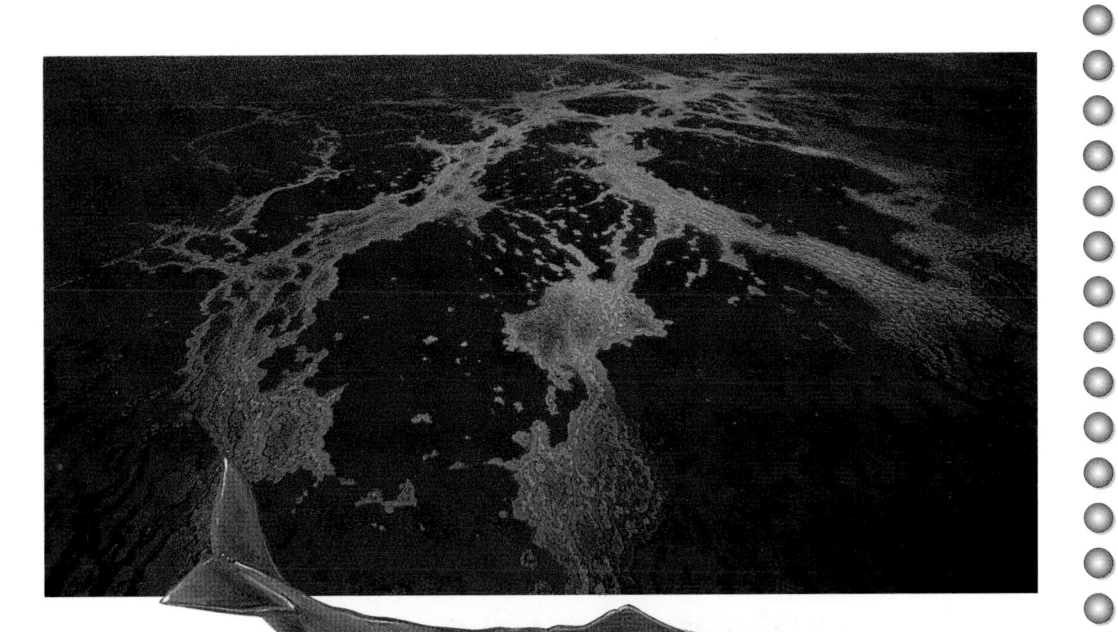

Un travail de longue haleine

Des individus et des organisations internationales se battent chaque jour pour sauver l'océan. Ils essaient d'obtenir des fonds et de faire voter des lois visant à la protection de la flore et de la faune marines. Les membres de Greenpeace (*à droite*) n'hésitent pas à barrer la route aux baleiniers au péril de leur vie.

Ces deux derniers siècles, des milliers de baleines ont été tuées pour leur chair et pour leur graisse.

Q : Le massacre des baleines va-t-il continuer encore longtemps ?

R : La pêche à la baleine est interdite dans pratiquement tous les pays du monde, hormis le Japon et la Norvège.
Si le nombre des baleines augmente, celui des phoques moines et des tortues vertes ne cesse de diminuer.

Petit contrôle des connaissances

Il est temps pour toi de tester tes connaissances. Essaie de répondre aux questions qui te sont posées, puis vérifie tes réponses en te reportant au(x) chapitre(s) concerné(s). Regarde attentivement les images. Que représentent-elles ?

Les océans du monde

Combien y a-t-il d'océans ?
Quel est leur nom ?
Quelle surface du globe recouvrent-ils ?
Quelle est leur profondeur ?
Comment se sont formés les océans ?
Qu'appelle-t-on le cycle de l'eau ?

Relief sous-marin

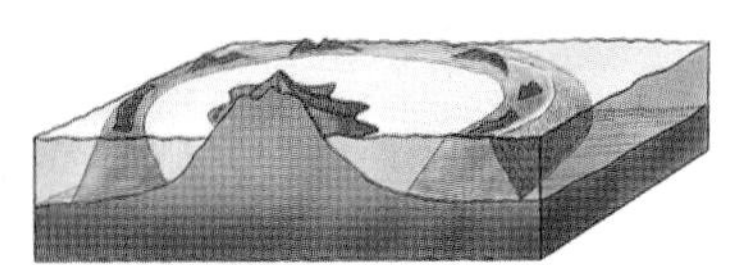

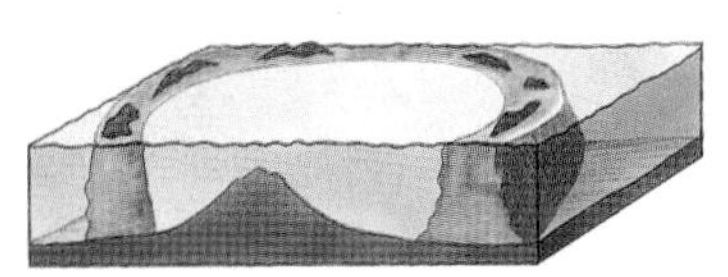

Y a-t-il des montagnes au fond de l'océan ?
Comment le lit de l'océan s'est-il formé ?
Qu'est-ce que le plateau continental ?
Où se forment les récifs de corail ?
Pourquoi les récifs coralliens au large de la Floride et des Maldives meurent-ils ?

Mers houleuses

Qu'est-ce que El Niño ?
Que sais-tu sur l'eau froide à proximité des pôles ?
Que sais-tu sur l'eau chaude à proximité de l'équateur ?
Comment se forment les vagues ?
Qu'est-ce qu'un ouragan ?

Chaîne alimentaire

Quel est le repas préféré du grand requin blanc ?
Qu'est-ce qu'une source hydrothermale ?
D'où les mangeurs de déchets tiennent-ils leur nom ?
Combien de requins les hommes tuent-ils chaque année ?
Qu'est-ce que le krill ?
Quelles sont les espèces qui se nourrissent de krill ?

Tailles, couleurs et formes différentes

De quelles couleurs sont les maquereaux ?
Les cœlacanthes ont-ils tous disparu ?
Quel poisson parvient à se confondre avec le fond sablonneux de l'océan ?
De quoi se nourrit le plus grand des requins ?
Quels poissons produisent leur propre lumière ?
Pourquoi le poisson-lion est-il dangereux ?

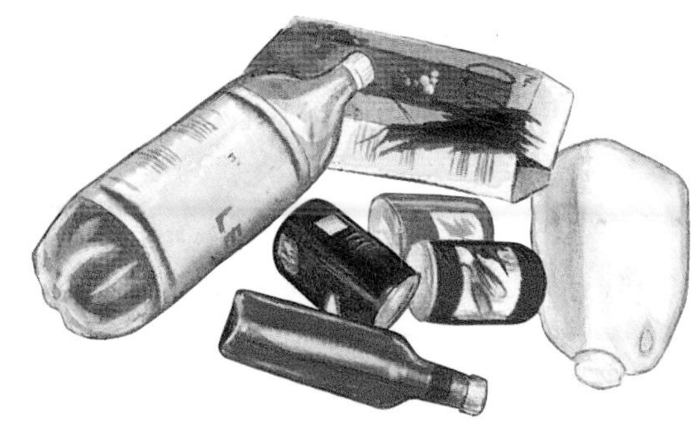

Les hommes et l'océan

Quels sont les déchets qui échouent sur les plages ?
Sur quels bateaux les populations d'Asie du Sud-Est sont-elles venues s'installer dans les îles du Pacifique ?
Quel peuple a inventé la voile ?
Avec quels instruments les scientifiques explorent-ils le fond de l'océan ?

Eau et sel

Comment peut-on fabriquer de l'électricité à partir d'eau de mer ?
Qu'est-ce que le dessalement ?
Comment sépare-t-on le sel de l'eau ?
Quel métal blanc trouve-t-on sur le lit de l'océan ?
D'où provient le pétrole ?

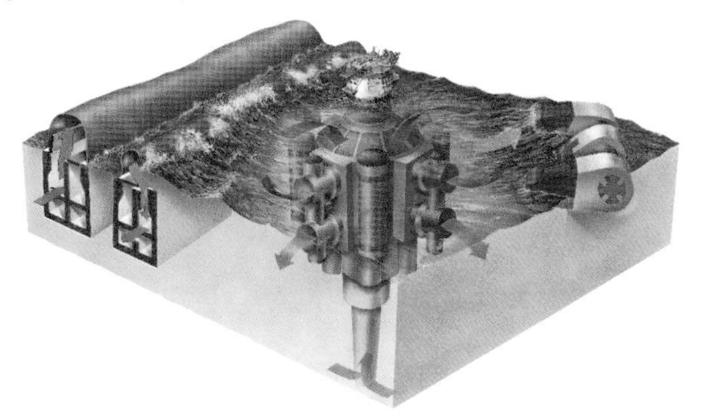

Poisson et filets de pêche

Quelle quantité de poisson pêche-t-on chaque année ?
Les réserves de poisson sont-elles inépuisables ?
Cite différents types de filets de pêche.
Que remontent les pêcheurs dans leurs filets ?

Pollution marine

Quelles sont les régions les plus polluées ?
Quelles sont les principales causes de la pollution des océans ?
Les algues souffrent-elles de la pollution ? Quelles en sont les conséquences ?
Qu'est-ce qu'une marée noire ?

Espèces menacées

Quels sont les animaux aujourd'hui en voie de disparition ?
La tortue verte sort-elle parfois de l'eau ?
Les phoques, les otaries et les baleines sont-ils menacés ?
Pourquoi tue-t-on les morses ?

Arrêtons le massacre

Qu'est-ce que l'écotourisme ?
Quels sont les objectifs de cette nouvelle forme de tourisme ?
Quels sont les avantages et les inconvénients de la pisciculture ?
Qu'est-ce que Greenpeace ?
Quel est son rôle ?

Le petit écolo

Les océans sont en danger. Menacées par les hommes et la pollution, les réserves de poisson s'amenuisent de jour en jour et de nombreuses espèces sont en voie de disparition. Pour arrêter ce massacre, n'hésite pas à faire part de tes inquiétudes et de tes réflexions aux autorités publiques et aux associations nationales ou internationales en charge de la protection de l'environnement et n'achète jamais d'objets fabriqués à partir d'espèces vivantes.

Recycler le papier, le verre et le plastique contribue à la protection de l'environnement.

Bien isoler sa maison permet de réduire la consommation d'électricité et par conséquent de moins puiser dans les réserves pétrolières de l'océan.

Ne pas gaspiller l'eau et ne pas oublier que les égouts se déversent presque toujours dans l'océan.

Attention aux gaz d'échappement et aux feux qui polluent l'atmosphère et sont dangereux pour tous les êtres vivants.

Sauvons notre planète !

Adresses utiles :

Ministère de l'Aménagement du Territoire et de l'Environnement
20, avenue de Ségur - 75007 PARIS

Greenpeace France
22, rue Rasselins - 75020 PARIS

WWF France
188, rue de la Roquette - 75011 PARIS

Glossaire

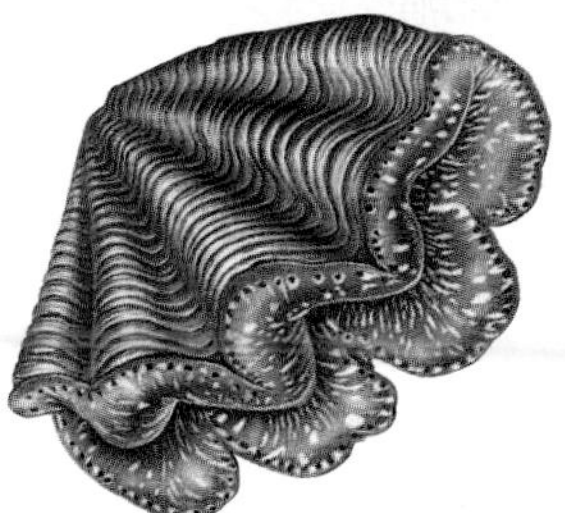

Atmosphère
L'air, les couches de gaz qui entourent la surface de la Terre.

Bactéries
Êtres microscopiques invisibles à l'œil nu. Les germes sont des bactéries pathogènes (qui peuvent causer des maladies).

Chlorure de sodium
Substance chimique composée de chlorure et de sodium, plus connue sous le nom de sel ou sel gemme.

Condensation
Passage d'un état gazeux à un état liquide (quand de la vapeur d'eau se transforme en liquide).

Croûte
La croûte ou l'écorce terrestre est la couche externe solide et rocheuse de la Terre.

Dessalement
Procédé par lequel on extrait le sel de l'eau de mer afin de produire une eau douce.

Disparition (en voie de)
Lorsque le nombre d'individus d'une espèce animale ou végétale ne cesse de diminuer.

Électricité
Énergie qui fournit de la chaleur et de la lumière.

Engrais
Produits naturels ou chimiques utilisés par les agriculteurs pour augmenter la fertilité du sol.

Évaporation
Passage d'un état liquide à un état gazeux. Lorsque du linge humide est exposé au soleil, l'eau se transforme en vapeur d'eau.

Exploitation
Utilisation des ressources de la Terre par les hommes pour leur bien-être, et ce, parfois, au détriment de la planète.

Gaz carbonique
L'un des gaz contenus dans l'air. Le gaz carbonique ou dioxyde de carbone est un gaz incolore et inodore.

Pétrole brut
Liquide épais et gluant extrait des profondeurs de la Terre. Le pétrole est ensuite raffiné dans des usines.

Pollution
Ensemble des produits toxiques contenus dans l'air, la terre et l'eau.

Limitation
Contrôle du nombre d'animaux par l'homme afin de limiter leur multiplication.

Sources hydrothermales
Failles sur les dorsales médio-océaniques par lesquelles s'engouffre l'eau de mer avant de rejaillir une fois réchauffée par le magma souterrain.

Sous-marin
Engin pouvant atteindre des profondeurs marines considérables.

Zone de subduction
Zone où la croûte océanique s'enfonce sous la plaque continentale.

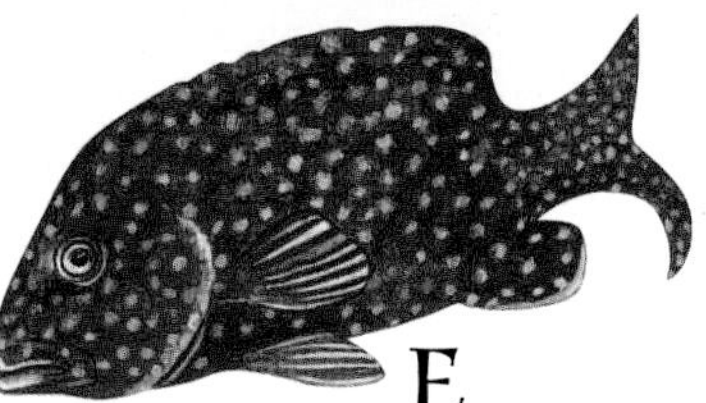

Crédits photographiques

Abréviations : H-Haut, M-moitié, B-bas, D-droite, G-gauche, C-centre.
Couverture - Roger Vlitos. 4, 5, 9, 10, 11, 16 les deux, 18, 19, 24, 26BG et 27 - Franck Spooner Pictures. 23M - Bruce Coleman Collection. 23B et 26BD - Oxford Scientific Films.